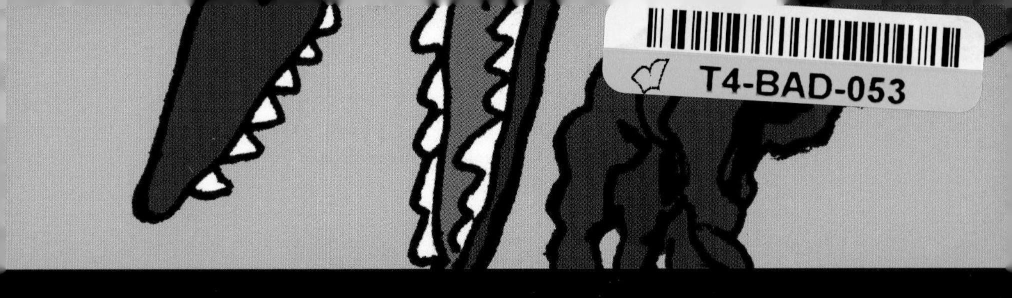

PRÉSENTATION

La Belle et la Bête

Avec *Adèle et la Bête*, le premier tome de la série des *Aventures extraordinaires d'Adèle Blanc-sec*, nous plongeons d'emblée dans un récit pétillant, foisonnant, quelquefois effrayant… et particulièrement dépaysant car, des boulevards haussmaniens aux premières automobiles, nous sommes bien dans le Paris du début du XXe siècle.

Adèle et la Belle Époque

Adèle est-elle une femme de son époque, la Belle Époque ? Et pourquoi cette période est-elle qualifiée de « belle » ? Elle pouvait sembler « belle » en comparaison avec la guerre 14-18, et son lot d'horreurs qui allait suivre. Les progrès technologiques (les premières automobiles, les premiers avions…) laissaient présager un avenir radieux pour la France. Les utopies sombreront rapidement au fond des tranchées et Tardi n'aura de cesse de dénoncer dans son œuvre l'absurdité de la guerre. Par ailleurs, la Belle Époque n'était pas tout à fait belle pour les justiciables, comme Lucien Ripol, le seul amour d'Adèle, un innocent condamné à la peine capitale. Si Adèle ne fait rien pour le sauver, il sera mené à l'échafaud où l'attend la guillotine. Et sa tête coupée sera montrée, en exemple, au peuple.

Le point de vue de Tardi

Un album de Tardi, ce n'est pas un livre d'histoire. Ça parle populaire, ça déborde d'humour, de malice et de personnages rocambolesques. Et derrière le divertissement, il y a le souci de réveiller les consciences, d'adopter un point de vue sur le monde. « Distraire en réveillant les consciences… oui, oui, c'est possible […] y compris dans la série fantastico-policière *Adèle Blanc-sec*. Si je n'avais pas cette envie-là, je dessinerais des Schtroumpfs. Faire passer une petite idée en faisant de la BD correspond au but que je me suis fixé », déclare Tardi, en 1988, dans le journal *La Liberté*. Aussi a-t-il illustré et adapté des auteurs comme Céline, Daniel Pennac, Jean Vautrin, Léo Mallet, Didier Daeninckx... et composé en tant que dessinateur et scénariste des œuvres majeures : *C'était la guerre des tranchées* (Casterman, 1993) ou *Les aventures extraordinaires d'Adèle Blanc-sec* (Casterman, depuis 1976), pour ne citer qu'elles.

Le neuvième art

À 39 ans, en 1985, Tardi accède à la consécration en recevant le Grand Prix de la ville d'Angoulême pour l'ensemble de son œuvre. C'est ce même Festival international de la bande dessinée d'Angoulême qui a donné ses lettres de noblesse au neuvième art, auparavant considéré comme un simple divertissement pour les enfants. La première édition de cette manifestation date de 1974, quelque temps avant la naissance d'Adèle Blanc-sec. L'affiche était alors signée par un auteur emblématique, Hugo Pratt, le père du célèbre Corto Maltese.

Aujourd'hui, la bande dessinée a acquis le statut de neuvième art. Un art de la représentation, comme le théâtre et le cinéma, mais qui n'est pas de la « littérature » ou du « cinéma ». La BD est un médium qui possède ses propres codes narratifs, enrichis, bien sûr, de connivence avec les autres formes d'expression. Et, avec *Adèle Blanc-sec*, notre héroïne à la mine boudeuse, aux chapeaux extravagants, mais surtout au caractère bien trempé, nous allons chasser le ptérodactyle volant, un monstre préhistorique revenu à la vie après des millions d'années, et étudier quelques caractéristiques de ce langage séquentiel symbolisé par les initiales BD.

Tardi

Adèle et la Bête

PARIS, 4 novembre 1911.
Au Muséum d'Histoire naturelle du Jardin des Plantes. 23h 45...

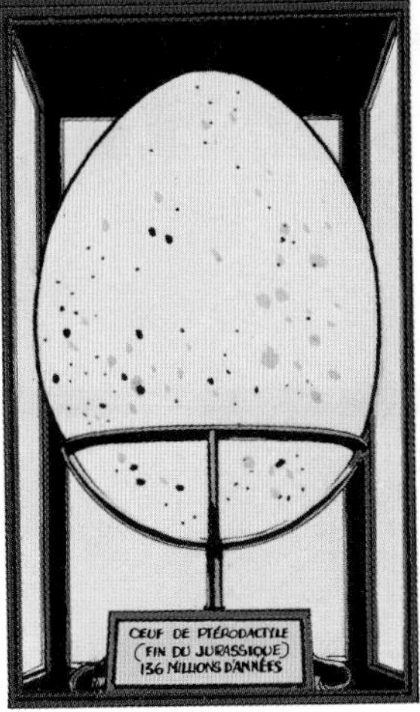
ŒUF DE PTÉRODACTYLE (FIN DU JURASSIQUE) 136 MILLIONS D'ANNÉES

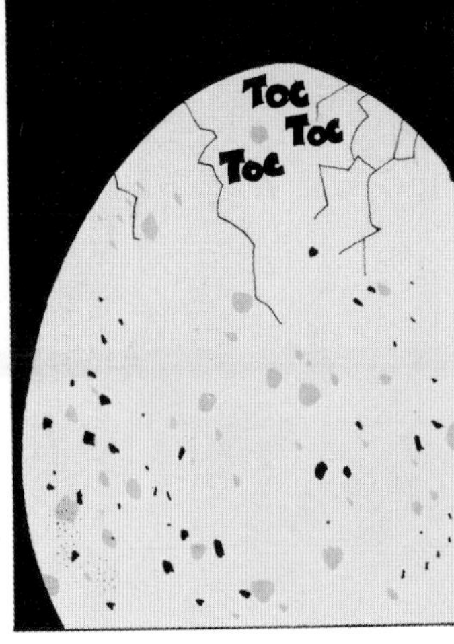
TOC
TOC
TOC

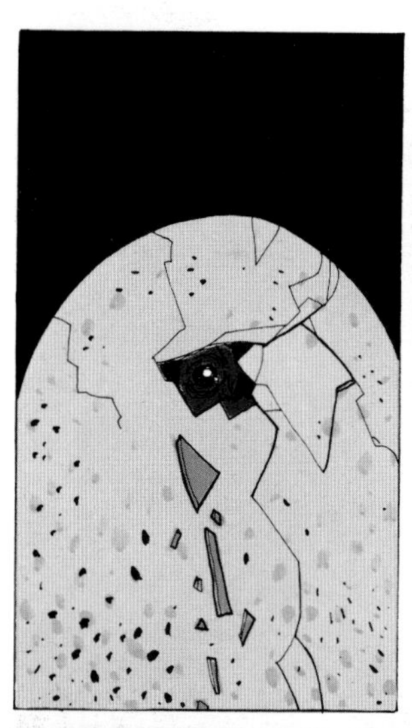

?
TOC
TOC
OEUF DE PTÉRODACTYLE
(FIN DU JURASSIQUE)
136 MILLIONS D'ANNÉES

Tardi

Adèle Blanc-sec

Adèle et la Bête

Présentation, notes, questions, après-texte et lexique établis par **Stéphane Hurel, professeur de Lettres**

MAGNARD
casterman

Sommaire

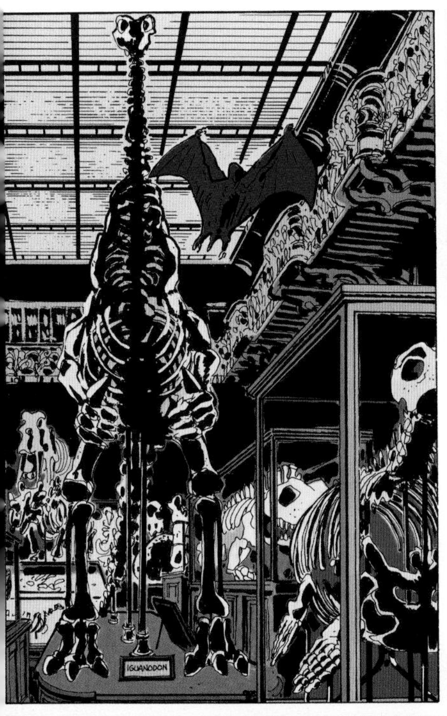
IGUANODON

Au même instant,
à LYON ...
AH
AH
AH
AH

1h03 au poste de police du XIIe arrondissement...

Brigadier, on l'a trouvé dans la rue qui gueulait comme un âne. J'crois qu'il en a un sérieux coup dans l'nez !
J'ai pas bu...
Avance !

J'ai pas bu ! J'ai été attaqué par une sorte de gros oiseau rouge avec un bec plein de dents ! J'vous l'dis, chef, j'ai pas picolé.

Mais oui, mais oui, t'es à jeun. Allez, foutez-moi ça au bloc !
5
18 18

C't'une bête affreuse ! J'vous raconte pas des bobards, chef ! Pour une fois que vous feriez quequ'chose d'utile en courant après c'bestiau ! Si c'est pas à vous dégoûter d'payer ses impôts d'voir ça. Ah ! les cognes,[1] j'te jure.

1. Policiers. Vient de l'argot *cogner*.

NOUVELLES DIVERSES

Un étrange incident

M. Georges Plot, pharmacien rue de Vaugirard, prétend avoir été agressé hier par un étrange volatile. L'animal, aussi gros qu'un chien selon les dires du pharmacien, l'aurait attaqué alors qu'il baissait le rideau de fer de son officine. Etrange incident que l'on serait tenté de mettre au compte d'un abus de boissons alcoolisées si M. Plot n'avait au visage de profondes traces de griffures...

Le 6 novembre 23 h 30, sur le pont au Change...

AAAA

2961 G7

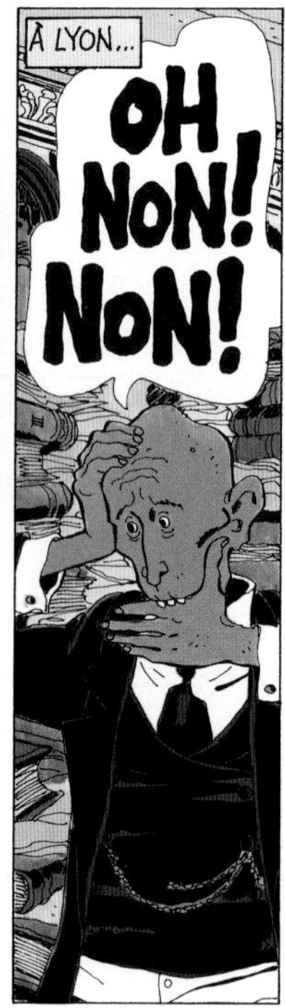
À LYON...
OH NON! NON!

EMBRE 1911

DES FAITS

Un taxi automobile attaqué par un ptérodactyle. Deux morts !

A 23 h. 30, hier soir, alors qu'il s'engageait sur le pont au Change, un taxi automobile conduit par M. Armand, ayant à son bord deux passagers : MM. Troupaquet, officier de réserve, et Boissieux, professeur à la Sorbonne, a été attaqué par un monstrueux volatile sorti du fond des âges. La bête hideuse et agressive plongea tel un rapace sur le taxi faisant perdre au chauffeur le contrôle de son véhicule qui franchit la balustrade du pont et tomba dans la Seine. M. Troupaquet et le chauffeur coulèrent avec l'automobile. Seul le professeur Boissieux devait échapper à la noyade, il parvint à nager et à regagner le quai où il fut secouru. Le professeur affirme avoir identifié l'animal. Il s'agirait d'un ptérodactyle ! Le ptérodactyle est un reptile ailé qui fit son apparition sur terre à la fin du jurassique, il y a quelque 130 millions d'années. Les ptérodactyles se sont éteints pendant le crétacé. Inutile de dire que cette affirmation, bien que venant d'un éminent homme de lettres, demande à être accueillie avec la plus grande perplexité. Evidemment, le but de ces lignes ne met pas en doute les propos du professeur Boissieux, mais ceux-ci ont de quoi surprendre. Il va de soi que scientifiquement la réapparition de ces animaux disparus depuis si longtemps est absolument impossible, aucune thèse sérieuse ne pourrait soutenir la possibilité du retour de cette espèce préhistorique.

Le Monde & la Ville

Ce matin, alors qu'ils travaillaient sur un échafaudage, rue du Théâtre trois peintres en bâtiment italiens ... Robialetto et Tardi,

Le 8...

Diverses

Une nouvelle victime du ptérodactyle

Alors qu'elle rentrait chez elle après oir raccompagné à son domicile une ses petites camarades, Juliette Boaud, âgée de 13 ans, a été attaquée et lessée par un énorme « oiseau rouge ». lous nous souvenons du drame du ont au Change survenu il y a deux ours et de l'affirmation du professeur Boissieux qui prétend que son taxi a été agressé par un ptérodactyle. Y aurait-il un rapport avec ce dernier incident ? Il y a de quoi être troublé car la description faite par la petite Juliette semble correspondre trait pour trait à celle du monstre antédiluvien...

Le 9...

FEUILLETON

Nous publions la suite de notre feuilleton en quatrième page.

ÉCHOS

Le monstre s'attaque à une veuve de guerre...

Hier après-midi, Mme Vve Bouzillard rentrait chez elle après avoir touché la pension de son mari. Alors qu'elle traversait la place des Vosges, le monstre, car il s'agissait bien de lui, l'a sauvagement attaquée. Mme Vve Bouzillard est morte sur le coup.

Le 10...

À TRAVERS PARIS

Le monstre tue à nouveau !

En plein jour, alors qu'ils se recueillaient sur la tombe de leur fils au cimetière du Père-Lachaise, M. et Mme Botière du Père-Lachaise, M. et Mme Bolard ont été assaillis par la bête. Elle s'en est prise d'abord à Mme Bolard, la blessant grièvement. Bien qu'il ait essayé de venir en aide à sa femme, son époux n'a pu éloigner le monstre. La bête l'a attaqué à son tour, le tuant net d'un coup de son bec acéré. L'affreuse et profonde blessure que le malheureux portait en travers de sa poitrine témoigne de la force et de la férocité du reptile volant.

Le 11...

ÉCHOS & NOUVELLES

Encore une agression du ptérodactyle. Trois morts !!!

Ce matin, alors qu'ils travaillaient sur un échafaudage, rue du Théâtre, trois peintres en bâtiment italiens, MM. Druilletti, Robialetto et Tardi, ont été agressés par le monstre. Pris de panique, ils se sont jetés dans le vide, faisant une chute vertigineuse avant de s'écraser au sol.

LE PTÉRODACTYLE A ENCORE TUÉ ! 5 MORTS LA NUIT DERNIÈRE !

Passez-moi le préfet de police... Allô, LÉPINE ? Le Président vient de m'appeler... L'affaire du ptérodactyle traîne en longueur! Nommez-moi quelqu'un d'énergique. Activez! Activez! Rendez-moi compte le plus vite possible!

Allô, DUGOMMIER ? Que devient l'enquête en cours au sujet du ptérodactyle ? Le commissaire POISSARD piétine ? Retirez-lui l'enquête et nommez-moi un type efficace! Cette affaire doit être classée le plus vite possible! Remuez-vous! Je vous donne 48 heures. Rappelez-moi illico!

NOVEMBRE 15

CAPONI? Ici le commissaire principal DUGOMMIER. Vous allez me tirer au clair l'histoire du ptérodactyle. C'est vous qui enquêtez maintenan[t] Allez, hop, en selle! Je mets en vous toute ma confiance. Vous avez 24 heures et ma bénédiction! Foncez dans l'tas, mon vieux, et pas d'bêtises!

Oh! Merci, M. le commissaire principal! Comptez sur moi, M. le commissaire principal.

L'affaire du pétrodactyle! Cette fois ça y est, mon p'tit Léonce : dans une semaine, tu s'ras commissaire!

1. Qui refuse toute autorité représentée par un gouvernement ou une religion.

M. le préfet... J'ai mis l'inspecteur CAPONI sur le coup. Non, personne d'autre... CAPONI est très bien : discret, efficace...
CAPONI est loin d'être une lumière, mais il sera parfait en bouc émissaire[1] si ça tourne mal...

Allô.. M. le ministre... DUGOMMIER a fait le nécessaire. Oui, un inspecteur tout à fait compétent, exactement l'homme de la situation : brillant et discret.

M. le président, j'ai donné des ordres. J'ai tout lieu d'espérer que cette stupide affaire sera rapidement classée...

Parfait ! Je vous fais confiance. Tenez-moi au courant de l'évolution de l'enquête.

Le soir même à DIJON, chez les RABATJOIE...
Écoutez ça ! "Henry ALLRIGHT, le célèbre banquier d'outre-Atlantique, lance un grand concours ouvert à tous, avec une récompense de 5000$ à qui abattra ou photographiera le monstre" etc... etc... Au point où nous en sommes avec toutes nos dettes et cette menace de saisie.. 5000$ ...
AHAHAH
C'est bien les Américains ça ! Gober cette histoire d'oiseau préhistorique !

Je devrais tenter ma chance... essayer de photographier ce monstre... Moi j'y crois.
Hein ?

Allons, ÉDITH, ce n'est pas sérieux ! Nous sommes sur le point d'aboutir ! Patience... Bientôt ce sera la fortune.

NON ! ÉDITH, TU N'IRAS PAS À PARIS !

1. Personne qui endosse les erreurs des autres.

Le 16 novembre dans le rapide pour PARIS...
P.L.M

Mmmh... joli brin d' fille !
Le Matin
NOUVELLE AGRESSION DU PTERODACTYLE

AH AH AH
EDITION DU SOIR
Le Fratier
NOUVELLE AGRESSION DU PTERODACTYLE !

Mademoiselle, regardez ce dessin humoristique...
Heu...

Ciel! Mon mari

Désopilant, n'est-ce pas ?
En effet.

Le ptérodactyle par-ci, le ptérodactyle par-là, on ne parle plus que de ça ! Vous y croyez vous à cette histoire ?... Vous montez à PARIS ? ... Heu... Mon nom c'est Antoine-Antoine ZBOROWSKY ; et vous ?
Quel idiot !

Heu... Édith RABATJOIE.
J'espère qu'il ne va pas jusqu'à PARIS.

Je vais jusqu'à PARIS. Vous aussi j'en suis sûr... Hein ? Ah! Ah! Ah! C'est la première fois que vous y allez ? Et qu'est-ce que vous faites dans la vie ?
ÉDITION DU SOIR

Heu... Je chasse le ptérodactyle... Excusez-moi, mais j'aimerais finir mon journal !

Ainsi les deux types du compartiment sont avec elle!

?
Elle est sur le toit, nous pouvons y aller.
Parfait! En route.

Suivez cette automobile!

Ne la perdez pas de vue!

Que peuvent-ils bien transporter dans une aussi grosse malle ?
ZOU.ZOU
BEC

Nous voilà à MEUDON! Bon sang, cette balade en taxi va me coûter les yeux de la tête... Ah! ils ralentissent.

C'est donc ici qu'elle habite... Ils sont rentrés. Bon, partons
En route, chauffeur!

Ça fait plaisir de rentrer à la maison... Joseph, Albert, sortez-la vite de cette malle et enfermez-la dans la petite chambre du 1er.

Je n'aurais pas dû répondre à ce type dans le train. Il m'a prise de court... Bah... n'y pensons plus.

y a 15 jours, le 5 au matin, un gardien trouvé cette vitrine brisée... Il a mis et incident sur le compte des visiteurs. On a changé la vitre et personne ne m'en a parlé... Hier, en me promenant dans le musée, je tombe en arrêt devant cet œuf de ptérodactyle vieux de 136 millions d'années que je connais comme si je l'avais pondu et je constate qu'il a éclos.

Cette nuit-là, rue Louis-Ferdinand BARDAMU...

$\int \frac{sh^3x + ch^3x}{(ch\,x + \lambda \sin x)^{2p1}} dx$
?
?
?
?

LE MONSTRE!!

VITE! VITE VITE VIIIT VITE!

AHHR! Il a disparu...

LE VOILÀ !

Espérons que la plaque sera... HÉ! QU'EST-CE QUE C'EST ?

Le lendemain...
" CETTE NUIT LE MONSTRE A FAIT UNE NOUVELLE VICTIME ! L'ignoble animal a été aperçu par Émile JOUFLOT, un jeune et non moins brillant étudiant qui au péril de sa vie, n'écoutant que son courage -l'apanage[1] de la jeunesse- est monté sur les toits, pouvant faire ainsi une photographie de la bête ...etc...etc... L'inspecteur CAPONI nous a déclaré ...etc..."
LA VIE SOCIALE
l'Humanité
LE FIGARO

... dans le bureau de l'inspecteur CAPONI à la Préfecture de police...

Sacrés journalistes, faut toujours qu'y fourrent leur nez où y faut pas !... Par contre ce qu'y savent pas, c'est qu' le pierrodactyle, il lui a laissé un couteau planté dans l'dos, à sa victime. Et qu'est-ce qu'y f'sait sur les toits c'type ? On sait même pas qui c'est ! L'bestiau, il a dû lui piquer ses papiers d'identité par la même occasion ! C'est confus tout ça, Léonce, c'est confus !

1. Ce qui est le propre de.

Le même jour à LYON...

LUGDUNUM... Connaissez-vous une ville plus sinistre et plus belle que LYON?

ESPÉRANDIEU!
BOUTARDIEU!

Je te remercie d'être venu aussi vite. Tu sais, Robert, j'ai l'impression que cette expérience commence à prendre une tournure inquiétante. Depuis que j'ai fait éclore l'œuf, il y a eu plus de 20 victimes.
AH?

Tu ne lis pas les journaux ? Le ptérodactyle a fait une vingtaine de victimes dont 11 morts ! Il tue quand je ne le maîtrise plus. La fatigue !... Ça me demande une concentration extrême, au-dessus de mes forces, pour garder le contrôle de son cerveau. Lorsque je le perds, il tue. C'est normal, il attaque tout ce qui bouge. C'est dans sa nature.

AH!

Mais ce qui m'inquiète, **c'est qu'il semble y en avoir un deuxième**
Je n'y comprends plus rien... Hier soir, j'étais avec lui au-dessus de Montmartre et les journau titrent ce matin qu'il a tué quelqu'un vers Montparnasse, rue BARDAMU! Quelqu'un l'aurait vu et aurait même fait une photographie.

S'il n'y avait pas cette photographie -peut-être truquée à cause du concours idiot de ce banquier américain- je croirais à un meurtre que l'on essaye de faire endosser à mon ptérodactyle ! Je ne peux pas bouger d'ici. S'il te plaît, Robert, va à Paris voir ce qui se passe. Contacte mon ami MÉNARD conservateur au Jardin des Plantes, dis-lui la vérité. D'ailleurs, ça m'étonne qu'il n'ait pas encore constaté l'éclosion de l'œuf au Musée.

D'accord, Philippe, tu peux compter sur mo
Merci, Robert.

Le même jour à NANTES...

LE VOILÀ!

M. Justin de St HUBERT, pouvez-vous nous dire pourquoi vous avez interrompu une chasse qui s'annonçait brillante en A.E.F[1] pour rentrer précipitamment en France ?
Messieurs, je suis rentré à la demande du gouvernement...
POUF

En effet, on m'a chargé d'en finir avec ce ptérodactyle. C'est un grand honneur pour moi de mettre mon talent de chasseur au service de la France. J'ai tué des centaines de fauves et c'est pour moi une grande joie que d'ajouter à mon tableau de chasse ce monstre sorti du fond des âges.

N'oublions pas que la tâche qui m'a été confiée est fort dangereuse. Le monstre semble féroce et je n'aurai assez de ma carabine à lunette chargée de balles explosives. Le monstre aura sa chance, moi de même. Messieurs, ce sera beau !

PARIS, le 19 à l'aube...

1. Afrique Équatoriale Française.

NOURRITURE INTERDITE
MOUFLON DE CORSE OVIS MUSIMOA (PALLAS)

Vous avez vu, ZBOROWSKY! Voilà pourquoi nos mouflons corses disparaissaient. Il vient les dévorer ici même! Incroyable! Pas un mot de tout ceci à quiconque! Nous allons essayer de le capturer.

Extraordinaire! Nous avons veillé toute la nuit, rentrons nous coucher. Demain nous prendrons des dispositions.
Qu'est-ce que c'est que ce concours à la gomme? 5000$ à qui abattra ou photographiera le monstre. Bon sang, mais cette fille rencontrée dans le train. Édith. Édith RABATJOIE.

Je suis sûr qu'elle est ici à cause des 5000$! Je devrais la prévenir... Non, elle pourrait tout gâcher!

Pourquoi gâcherait-elle tout? Non! MÉNARD n'apprécierait pas... AH c'est quand même bête! Que faire?
RRR

RRRR

?

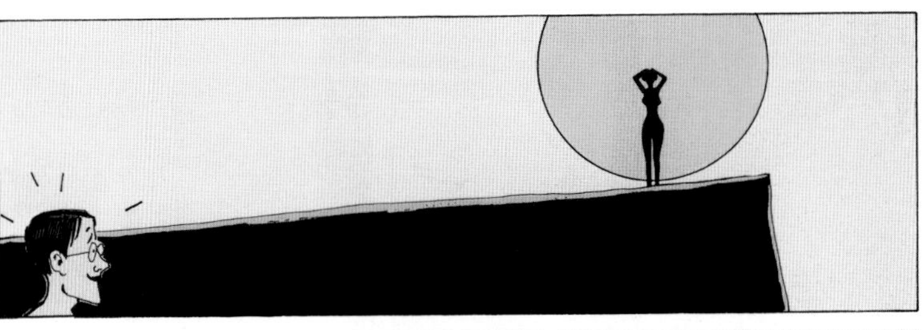

C'est elle ! C'est elle !
MADEMOISELLE !
HÉ ! HO !
MADEMOISELLE ÉDITH !

HÉ !

GRÔÔAARR
?

GRÔÔÔ
AARR
A
AAA

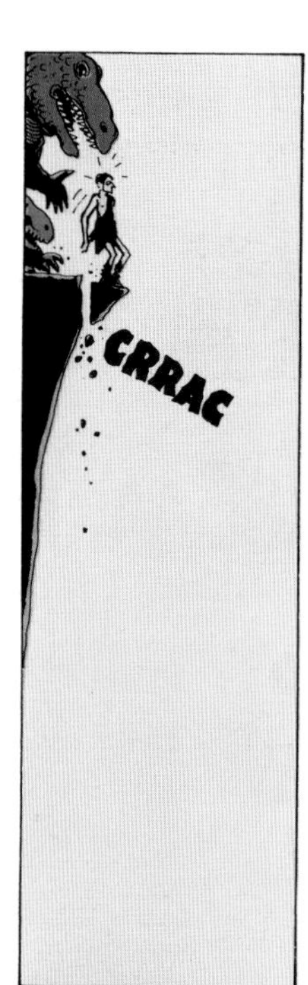
CRRAC

AAAAAAAA

MADEMOISELLE ÉDITH! C'EST MOI, ZBOROWSKY!

AAARRR
AAA

AHAHAH
CROAK
CROAK CROAK
CROAK

Euh... Je vais immédiatement lui écrire. Je connais son adresse. Je vais lui fixer un rendez-vous pour demain au Jardin des Plantes Je ne dirai rien dans la lettre et lui expliquerai tout de vive voix. Ainsi je pourrai la revoir...

ns l'après-midi, MEUDON...
BONJOUR, LE RABATJOIE!

Enfin calmée? Inutile de continuer à détériorer la porte: elle est solide, et il y a deux hommes en bas qui ne vous laisseraient pas sortir. Cessez de hurler, c'est horripilant et ça ne sert à rien, la maison est isolée.

PETITE GARCE!

calme, mon petit! Vous n'êtes pas ns une situation qui vous permet être grossière. Mais je reconnais que vous dois quelques explications! Êtes-vous disposée à m'écouter bien gement?
Je surveille depuis longtemps votre maison et la boutique de votre père à DIJON. Je sais ce qu'il a mis au point avec l'aide de votre frère. Ils ont eu là une riche idée car je saurai comment utiliser cet appareil dès qu'il sera en état.

ors là, petite este, vous pouvez ujours espérer.
J'espère! Et j'ai même de sérieuses raisons d'espérer que tout se passera comme je le souhaite. C'est d'ailleurs pour ça que je vous séquestre! Vous serez une très bonne monnaie d'échange.

Votre père cédera, j'en suis sûre. C'est un excellent homme très attaché à sa fille. Comme c'est normal, vous êtes tout craché le portrait de votre mère.
ORDURE!
Du calme...

Figurez-vous, jeune fille, que je me suis laissé accoster dans le train par un jeune idiot alors que vous étiez bien gentiment au chaud dans votre malle. Prise de court quand il voulut connaître mon identité, je lui donnai votre nom. Nous avons causé... Il me croit à PARIS pour les mêmes raisons que vous : essayer de tirer le portrait de cette espèce de monstre préhistorique dont on parle beaucoup.

1. Endormie à l'aide d'un produit chimique.

Il va même jusqu'à me donner un rendez-vous dans le but de m'aider. Tout ça vous aurait bien arrangée, n'est-ce pas ? C'est dommage car moi, voyez-vous, le ptérodactyle, j'en ai pas grand-chose à faire.
Il y a une chose que j'aimerais savoir...

Taisez-vous ! Sachez que j'ai passé d'importantes commandes, payées d'avance, à votre père pour qu'il puisse terminer le plus rapidement possible son fabuleux appareil dont j'ai tant besoin. Que vouliez-vous me dire ?
Qui êtes-vous ?

Mon nom ? Que je réussisse ou non, vous le saurez bien assez tôt.

Le lendemain...
À tout à l'heure, les enfants, je vais au Jardin des Plantes.
À tout à l'heure.

ALBERT, tu as lu ça ? Le corps de la victime du ptérodactyle découvert sur un toit rue BARDAMU par un étudiant vient d'être identifié. Il s'agit d'Auguste RABATJOIE, le frère de notre prisonnière.
AH?
Le Matin

Ça m'assomme d'aller au rendez-vous de ce ZBOROWSKY, surtout par ce temps ! Mais je ne veux pas prendre le risque de le voir rôder autour de la maison.

Quelle odeur ! Où est ZBOROWSKY? Il est pourtant l'heure.

15h 10mn. Dans 5 minutes je pars.

Sale bête.

?

AAAAAA

NE BOUGEZ PAS!

VITE ! ORTEZ U BASSIN!

M'sieur par ici!

onsieur, ce que ous avez fait est tout simplement héroïq
Ma pauvre enfant, comment vous sentez-vous? Quel- rreur, vous auriez us faire m
Mais non, mais non.
Qui m'a poussée?
J'ai rien vu et vous ?

ESPÉRANDIEU! Excuse mon retard. Mais que se passe-t-il ici ?
MÉNARD!

MADEMOISELLE ÉDITH...
?

Mais... ZBOROWSKY, que faites-vous ici?
Ne partez pas! Mais enfin, que s'est-il passé, expliquez-moi, je vous en prie, expliquez-moi!
Ah, vous,

METROPOLITAN
Qui a bien pu me pousser?

Bizarre tout ça... Ça commence à mal tourner. Il faut que j'entreprenne au plus tôt mes transactions avec les RABATJOIE.

C'est ici!

ALBERT! JOSEPH!

JOSEPH!

Que s'est-il passé? Où est ALBERT?

On tente de me livrer en pâture aux crocodiles. JOSEPH se fait défoncer le crâne et ALBERT me trahit, libérant ÉDITH, ma monnaie d'échange pour obtenir l'engin des RABATJOIE. Il est évident que je ne contrôle plus la situation...

Hé oui! Je connais aussi beaucoup d'autres choses sur votre compte! Je peux vous dire qu'ÉDITH est en lieu sûr, qu'ALBERT est mon complice. C'est lui qui m'a averti de votre rendez-vous au Jardin des Plantes, ce qui m'a permis d'y être aussi et de vous pousser dans le bassin... Nous étions très près l'un de l'autre dans la foule cet après-midi, vous auriez pu me toucher... Vous avez eu de la chance! N'en abusez pas! Je connais vos projets. Venez ce soir, sinon demain la presse entière publiera ce que je sais de vous et de vos intentions...

Vous êtes quand même venue.
Oui ! J'ai réfléchi.

Allons nous cacher un peu plus loin. Le ptérodactyle vient ici toutes les nuits.

L'attente risque d'être longue, surtout pas de bruit !
Mouais...

Plus loin dans un buisson.

Un peu plus loin dans un autre buisson...

Encore plus loin dans un troisième buisson !

À l'extérieur...

LE VOILÀ !
Extraordinaire ! J'avais peine à y croire. MÉNARD, il est temps que je vous explique.

Adieu, Adèle ! J'espère que RIPOL ne tardera pas trop à te rejoindre.

PAN
PAN

?
On nous tire dessus !
TAC

AAAA

?
Bon sang ! On vient de tirer deux coups de feu ! Dépêchons !

HÉ!
ù allez-vous?

AAA...
Mon bras.

ARR

e voilà! Bon sang, St HUBERT,
l enlève un homme! Tirez,
irez vite. Bon sang, mais
tirez!

BANG

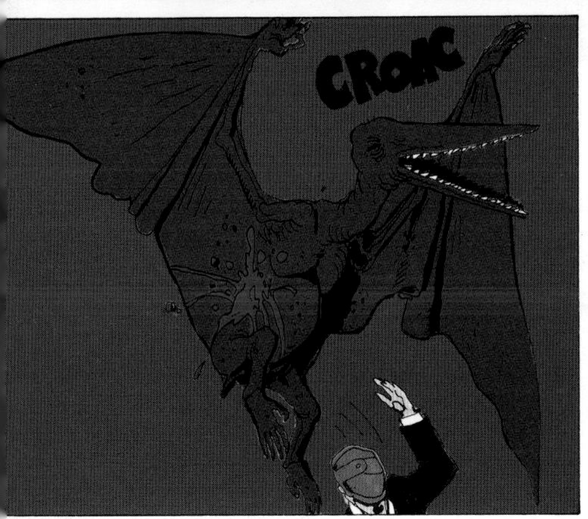
CROAC

Au même instant
à LYON...
AAAAA

Le ptérodactyle ! Qui a tiré ? Quel est l'assassin, qui a tiré ? Vous ! Que faites-vous ici ?
POLICE ! Inspecteur CAPONI !
Mon Dieu, BOUTARDIEU !

La police ? Pas la peine de traîner ici !

À LYON...

Ignoble crétin ! Vous êtes ici chez moi, qui vous a permis d'abattre cet animal ? Vous rendez-vous compte de ce que vous avez fait ? IMBÉCILE !
Monsieur, je vous en prie, soyez poli ! Vous parlez à Justin de St HUBERT chasseur de fauves...

QUOI ? Vous voudriez que je sois poli avec un meurtrier ! D'abord, donnez-moi cette arme... Confisquée !
Mais...

À NOUS DEUX CHASSEUR !
On va inverser les rôles : vous allez jouer au gibier ! C'est régulier, vous avez vos jambes et moi la carabine. ALLEZ, COUREZ !
Vous êtes fou...

AH AH AH AH AH
BANG
ARRÊTEZ ! ARRÊTEZ !

BANG BANG
AAAAA

Et maintenant, la mise à mort de l'animal ! Vais-je tirer ? La tentation est grande !

ARRÊTEZ, SINON JE TIRE !
Méthode policière.

Monsieur, des habitants voisins du Jardin des Plantes nous ont signalé la présence du monstre. Notre mission consistait à abattre le pétrodactyle, et c'est ce que nous avons fait.

Ptéro pas pétro, bougre d'âne !

Les coups de feu ont cessé... Que se passe-t-il ici ? Et Mlle ÉDITH, où est-elle ? Hé ! Mais qui est ce type ?
?

Professeur MÉNARD, vous êtes là ! N'auriez-vous pas rencontré Mlle ÉDITH ?
ZBOROWSKY ! Qu'est-ce que vous fichez ici ? ÉDITH ? Qu'est-ce que c'est que ça ?

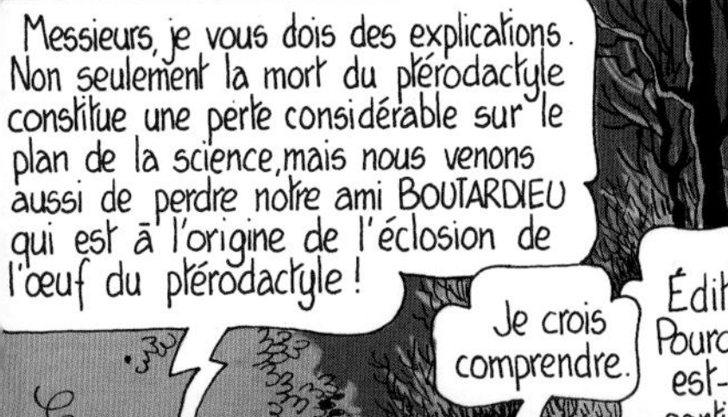
Messieurs, je vous dois des explications. Non seulement la mort du ptérodactyle constitue une perte considérable sur le plan de la science, mais nous venons aussi de perdre notre ami BOUTARDIEU qui est à l'origine de l'éclosion de l'œuf du ptérodactyle !

Je crois comprendre.
Édith... Pourquoi est-elle partie ?

Aussi étonnant que cela puisse paraître, BOUTARDIEU était doué de pouvoirs surnaturels. Capable de produire à distance une énergie considérable, il redonna la vie au ptérodactyle qui dormait intact dans son œuf depuis 136 millions d'années. BOUTARDIEU fit éclore cet œuf et guida l'animal depuis LYON. Mais ceci lui demandait une énorme concentration et par moments, fatigué, il perdait le contrôle de l'animal qui devenait alors agressif et tuait.

Décidément, il y en avait du monde ce soir au Jardin des Plantes, et encore j'ai l'impression que tout le monde n'est pas là. Dites donc, on dirait que votre chasseur de fauves n'a plus tous ses esprits ! Enfin, vous n'avez pas perdu votre temps... Félicitations !

Le lendemain.

La fin du monstre

Enfin le monstre qui terrorisait Paris depuis des semaines, a été abattu hier soir au Jardin des Plantes. Le célèbre et héroïque chasseur de fauves, Justin de Saint-Hubert, a affronté la bête au péril de sa vie, assisté de son non moins perspicace inspecteur Léonce Caponi, chargé de tirer au clair cette obscure affaire. Ainsi grâce à l'intervention courageuse de ces deux hommes, Paris se voit débarrassé du terrible animal.

Depuis bien longtemps la capitale n'avait vécu d'heures aussi angoissantes. D'étranges incidents ont ponctué cette battue peu commune. Il semble que les fourrés du Jardin des Plantes aient abrité, hormis le professeur Ménard, conservateur du Muséum d'Histoire Naturelle, posté en observation, un certain nombre d'individus dont la présence dans le Jardin reste inexpliquée.

AH! LE VOILÀ!
Dans cinq minutes, t'auras plus jamais besoin d'aller chez le coiffeur! AH AH
CRÈVE, ASSASSIN!

NON! C'est LOBEL qui a tué MIGNONNEAU, c'est pas moi! JE SUIS INNOCENT!

... Heure

Le retour du monstre

Ce matin à l'aube, un condamné à mort a été enlevé par un ptérodactyle ! En effet, Lucien Ripol qui devait être exécuté, a été emporté dans les airs par le monstre au moment où le couperet de la guillotine allait débarrasser la société d'un dangereux bandit. On se souvient qu'hier au Jardin des Plantes, l'inspecteur Caponi, aidé du célèbre chasseur Justin de Saint-Hubert, avait abattu dans des circonstances héroïques le ptérodactyle qui depuis des semaines répandait la terreur sur la capitale. Paris sortait du cauchemar.

Aujourd'hui il s'y trouve replongé, car il s'agirait bien d'un ptérodactyle, d'après les témoignages des officiels qui assistaient à l'exécution. Y aurait-il un deuxième, voire même plusieurs monstres ?

M. le commissaire principal, j'étais moi-même à l'exécution ce matin, j'ai vu le monstre de mes propres yeux. Nous avons tué un pétrodactyle, mais peut-être y en a-t-il plusieurs...

PTÉROdactyle pas **PÉTRO**dactyle ! **CRÉTIN !**

C'est sûr. On peut dire sans se tromper qu'il y en a au moins deux. Autre chose : le 20 novembre, Eugène LOBEL était tué au Jardin des Plantes et enlevé par le ptérodactyle abattu aussitôt par St HUBERT. Aujourd'hui, c'est le tour de Lucien RIPOL. Vous voyez le rapport ?

Heu... Non...

NON? LOBEL et RIPOL étaient complices, compromis tous les deux dans l'affaire du banquier MIGNONNEAU. RIPOL était condamné à mort pour le meurtre du banquier. LOBEL avait réussi à échapper à la police, à **vous** échapper, CAPONI ! Car c'est vous qui aviez mené cette enquête que je sache et c'est pour cette raison que vous accompagniez RIPOL à l'échafaud[1] !

Le lendemain, au Jardin des Plantes.

1. Estrade construite pour l'exécution publique des condamnés à mort.

Vous allez voir...
Regardez bien.

L'argent...
ne fait pas le bonheur.

OH!
Vous m'avez compris...

Suivons-les!

Nous allons prendre un taxi.

Dépêche-toi ! Je crois qu'on nous suit.

Suivez cette voiture !
Suivez cette automobile !

6813G7

Dans la 1ère voiture...
Bonne idée ce rendez-vous au Jardin des Plantes, n'est-ce pas, Adèle ?
Tu sais, ces derniers temps, j'y viens souvent...

Ça fait du bien d'enlever ces trucs...
Raconte !

Eh bien, au moment où ils allaient me guillotiner, j'ai été enlevé par un énorme oiseau...
LE PTÉRODACTYLE!
Il m'a posé en douceur dans un coin calme, puis est reparti avant même que je comprenne ce qui m'arrivait...

Je suis passé à MEUDON : personne ! J'y ai laissé un message et me suis caché.
Heureusement que JOSEP a trouvé ton message à MEUDON ce matin, car pour moi, tout a mal tourné et j'ai été obligée de changer de planque.

Ouais... Ne traînons pas... Tant pis pour LOBEL, je m'occuperai de lui plus tard. Allons vite chercher le fric et fuyons !
Pour l'instant, semons les deux automobiles qui nous collent au train... Quant à LOBEL, il est mort.

Dans la 2e voiture...
Où nous emmènent-ils ?
HÉ! HÉ!
Dans la 3e voiture...
HIN! HIN! HIN! HIN!

La nuit venue, à nouveau au Jardin des Plantes.

Crois-tu que nous ayons semé nos poursuivants ?
CHUT!

C'est ici ! Dans le socle de l'iguanodon.
AH AH AH

'est là-dedans
ue j'ai planqué le
c et les objets
flés chez le ban-
uier MIGNONNEAU
juste avant d'être
pinglé par CAPONI.
IGUANODON

LOBEL avait pris la fuite de son côté me laissant le magot sur les bras. Jusqu'à présent, j'étais le seul à connaître la cachette.
IGUAN

MAINTENANT NOUS SOMMES QUATRE !
?
?

lains en l'air !
Qui êtes-vous ?

ÉDITH RABATJOIE ! ALBERT ! sale traître !
Aïe

lé oui, j'étais aussi au servi-
e de LOBEL. Il ignorait la
lanque du magot raflé chez
e banquier. Mais il connaissait
otre intention de faire évader
RIPOL accusé du meurtre de
IGNONNEAU, meurtre dont
l était l'auteur.

LOBEL avait peur de revoir RIPOL en liberté. Il avait peur de la vengeance de RIPOL, il préférait le savoir guillotiné. Et c'est pour faire échouer le projet d'évasion qu'il a essayé par deux fois de tuer ADÈLE. Il préférait tellement voir RIPOL exécuté, qu'il s'était fait à l'idée de ne jamais récupérer le magot
...MAIS PAS MOI !
HÉ ! HÉ !
?

HÉ LÀ !
AARRH

HÉ! HÉ!
AAAAAAA
LUCIEN!
PAN
PAN

VOUS L'AVEZ TUÉ !

Heu... c'était quelqu'un de votre famille ?
Pas vraiment...
Dites donc, vous deviez m'aider à livrer à la police l'assassin de mon frère puis le véritable meurtrier du banquier.
C'est pourquoi vous avez réalisé le projet d'ADÈLE en pilotant l'engin et en soustrayant RIPOL à la guillotine. LOBEL a tué le banquier et il a tué votre frère AUGUSTE pour se procurer l'engin afin qu'ADÈLE ne puisse l'utiliser.

LOBEL a attiré votre frère en l'assurant qu'il avait de vos nouvelles, que l'engin l'intéressait pour un brevet et qu'il souhaitait le voir voler. Il lui avait donné rendez-vous sur les toits où il l'a tué, puis il a caché l'appareil. Votre père, certainement influencé par "l'affaire du ptérodactyle", a eu une riche idée en donnant justement à son engin l'apparence d'un ptérodactyle. À deux reprises on l'a confondu avec le monstre : sur la photographie prise par l'étudiant...

... et lors de l'enlèvement de RIPOL.

on! Trêve de
aisanteries,
esdemoiselles,
dieu et
en l'bon-
ur chez
vous !

ON SE RETROUVERA !
Mais oui... Mais oui...

PAN

?
AAA

HIN! HIN! HIN!

Fausse barbe et lunettes noires... Qui que vous soyez, merci quand même...

JOSEPH!

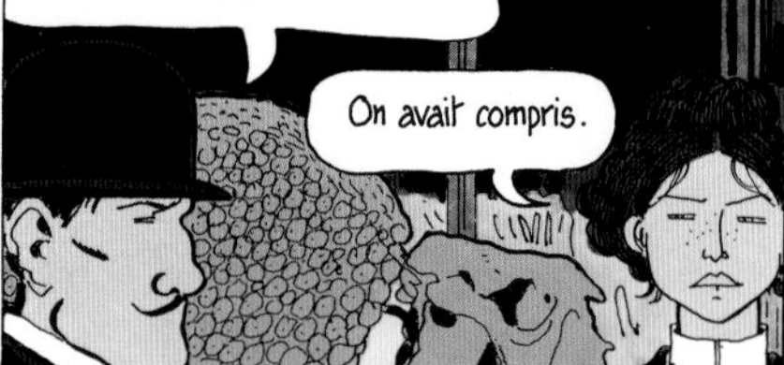

Je m'étais promis de faire payer cher à ALBERT ce mauvais coup qu'il m'avait donné sur le crâne... Voilà, c'est fait ! Je vais vous expliquer : ALBERT voulait que RIPOL soit libre afin qu'il le conduise à l'argent. Peu lui importaient les intérêts de LOBEL, son maître...
On avait compris.

D'ailleurs LOBEL était trop préoccupé par ADÈLE qu'il voulait faire disparaîtr
Aussi quand ADÈLE est partie au rendez-vous de ZBOROWSKY au Jardin des Plantes, LOBEL, prévenu par ALBERT devait la supprimer en la poussant dans le bassin des crocodiles. ALBE pensait qu'ADÈLE ne reviendrait pas MEUDON.

C'est pour cette raison qu'il m'a assommé et qu'il vous a libérée, ÉDITH, afin que vous fassiez évader RIPOL ainsi qu'ADÈLE l'avait prévu... Le soir même, à nouveau au Jardin des Plantes, il tentera de tuer LOBEL, qu'il ne veut plus avoir dans les pattes, au moment où celui-ci essaie pour la deuxième fois de tuer ADÈLE.
Quelle salade !

ALBERT n'a aucune raison de souhaiter la mort d'ADÈLE, puisqu'il pense que les chances de voir RIPOL le conduire à l'argent seront plus grandes si ADÈLE l'accompagne. L'engin est aux mains de LOBEL... Peu importe ! ALBERT connaît la planque... Et vous connaissez la suite !

?
HÉ
ALBERT
disparu

Bah... Il n'ira pas loin !

Quoi qu'il en soit, merci JOSEPH de m'être resté fidèle. Sans votre intervention...
N'allez pas vous mettre de pareilles idées en tête... J'ai le fric, c'est tout ce qui compte !

ON SE RETROUVERA !
Mais oui... Mais oui...

t vous,
'allez-vous
faire ?
... Je vais récupérer l'appareil et rentrer à DIJON chez mon père...

Au revoir... Je suis désolée pour votre frère...
ADIEU!

Bon... Inutile de traîner ici... ADIEU, LUCIEN.
IGUANODON

TRRRIIIIT
Des coups de sifflet! Les flics!

Allez, rentrez
-dedans !
Attention, ils sont
armés, des voisins
nt entendu des coups
e feu !

Il était temps...

Montez derrière, vite! La police ne va pas tarder à rappliquer. VITE!
?
Pourquoi pas!

Montez ! Mlle BLANC-SEC !
Vous connaissez mon nom... Monsieur ?
FLAGEOLET. Simon FLAGEOLET.

Vous vous demandez certainement quel rôle je joue dans cette affaire ? Eh bien, figurez-vous que je suis intéressé moi aussi par le magot dérobé au banquier MIGNONNEAU. L'un des sacs contient un objet d'une valeur inestimable pour certaines personnes qui m'ont chargé de le récupérer.
AH ? AH ?
Et je suis sûr que vous m'aiderez.

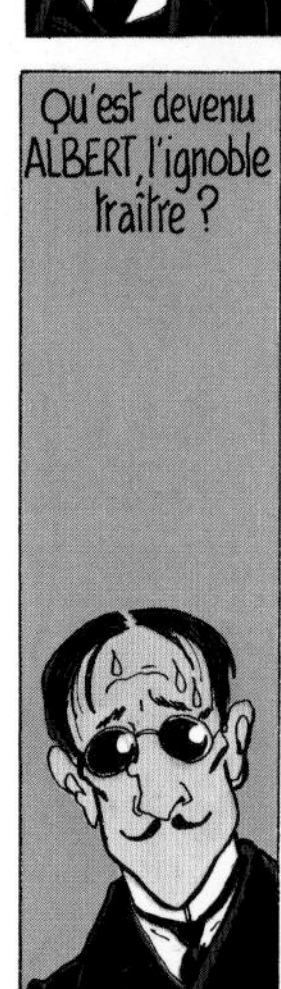

Qu'est devenu ALBERT, l'ignoble traître ?

JOSEPH le fourbe profitera-t-il longtemps du magot ?

J. TARDI

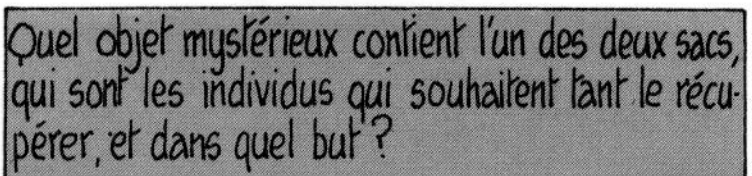

Quel objet mystérieux contient l'un des deux sacs, qui sont les individus qui souhaitent tant le récupérer, et dans quel but ?

L'inspecteur CAPONI ne risque-t-il pas de devenir efficace à force d'essuyer échec sur échec ?

ADÈLE retrouve-t-elle ALBERT et JOSEPH ? S'emparera-t-elle de l'argent volé au banquier ? Aidera-t-elle Simon FLAGEOLET ?

Jérôme, passez par le PONT-NEUF.

Bien, monsieur !

Mais déjà un nouveau mystère secoue PARIS...
...Des événements insolites surviennent sur le Pont-Neuf. En effet, à certaines heures de la nuit, quiconque s'y aventure a peu de chance d'atteindre l'autre rive.

FIN

Adèle BLANC-SEC a-t-elle eu raison de faire confiance au providentiel Simon FLAGEOLET ? Peut-être l'apprendrez-vous dans le prochain épisode de cette rocambolesque histoire intitulé

LE DÉMON DE LA TOUR EIFFEL

Après-texte

Une héroïne moderne

Lire

Une scène de rencontre

Pages 18 à 20

1 Quelle est la première réaction de Zborowsky vis-à-vis d'Adèle Blanc-sec ? Quel signe graphique permet de montrer que le personnage pense ?

2 De quel milieu social Adèle Blanc-sec semble-t-elle faire partie ? Relevez les éléments qui justifient votre réponse.

3 Quelle fausse identité donne-t-elle ?

4 Adèle est-elle sensible à la conversation de Zborowsky ?

5 En réalité, notre héroïne est romancière et écrit des romans-feuilletons. Quel métier dit-elle exercer ? Où habite-t-elle ?

6 Analysez le nom de famille « Blanc-sec ». Ce nom propre est-il connoté ?

ZOOM

COMICS ET FRANCO-BELGE

Les comics américains ont mis en scène des super-héros comme Superman, Wonderwoman, Mandrake... Ceux-ci possèdent des pouvoirs qu'ils mettent généralement au service du Bien et de la Justice. Adèle Blanc-sec, qui s'inscrit dans un style franco-belge, est un personnage ancré dans le réel, sans pouvoirs particuliers, si ce n'est un caractère bien trempé. De plus, ses rapports avec le Bien et la Justice sont complexes.

7 Pages 29 à 31 : Adèle Blanc-sec est-elle une héroïne qui tente de maintenir l'ordre social ? Quelle est son intention et quels moyens emploie-t-elle ?

8 Page 35 : Adèle Blanc-sec est-elle un personnage qui ne comprend pas les ressorts de l'histoire (comme l'inspecteur Caponi) ?

Pages 50 à 53

9 Que peut-on dire du caractère d'Adèle Blanc-sec ?

10 Décrivez l'habit que porte Adèle Blanc-sec. Est-ce une tenue féminine ? Le personnage est-il stéréotypé ?

11 La caractérisation du personnage est-elle directe ou indirecte ?

À SAVOIR

LA CARACTÉRISATION DU HÉROS

Le *héros* est le personnage principal ; celui dont on raconte l'histoire. Les informations données implicitement, à partir d'une parole, d'une action, d'une façon de se vêtir, caractérisent le personnage et lui donnent une existence dans le récit. Quel est son milieu social ? Quels sont ses goûts, ses motivations, ses rapports avec les autres personnages ? C'est une *caractérisation indirecte* qui répond à ces questions.
Un texte informatif dans un récitatif (ex. : « Adèle Blanc-sec est feuilletoniste et suit la mode de la bourgeoisie du début du XXe siècle. Elle est aventurière... ») serait une *caractérisation directe*.
Un personnage principal qui subit les événements et n'accomplit pas d'actions méritoires est un *anti-héros*.
Lorsqu'un type de héros apparaît de façon récurrente dans les romans, films, BD, avec toujours les mêmes caractéristiques, on dit qu'il est *stéréotypé*.

Écrire

12 Faites un portrait réaliste d'Adèle Blanc-sec en montrant que son allure « Belle Époque » contraste avec une attitude très moderne.

13 Adèle écrit au président de la République pour lui demander d'abolir la peine de mort (peine encourue par son ami Lucien Ripol). Rédigez cette lettre.

Chercher

14 Quelle était la mode féminine à la Belle Époque ?

15 Citez des noms de héros masculins et expliquez le rôle qu'ils tiennent dans le récit.

16 Quel est le rôle des femmes en général dans les romans, films, BD ? Citez des exemples précis.

REPÈRES

LA BELLE ÉPOQUE

Au début du XXe siècle, il était très mal vu de sortir tête nue ou «en cheveux». Contrairement aux femmes du peuple, les bourgeoises portaient un chapeau, comme Adèle, qui était un signe extérieur de respectabilité. De plus, la consommation d'alcool et de tabac était réservée aux hommes.

Débattre

17 Adèle emploie des moyens en dehors de la légalité pour une cause qui lui semble juste. Que pensez-vous de cette phrase que Michel Houellebecq qualifie d'« odieuse » dans *Ennemis publics* : « la fin justifie les moyens » ?

Arrêt sur image

18 Qui part vivre des aventures à l'extérieur et qui reste à la maison ? Est-ce une vision machiste de la femme ? Comment Adèle appelle-t-elle ses complices ?

Incipit : la naissance du monstre

Lire

Page 9

1 Dans quelle ville et quel lieu précis se déroule l'action ? À quel moment de la journée ? Quels éléments vous l'indiquent et quelle connotation est associée à cette heure ?

2 Quel angle de vue et quelle valeur de plan l'auteur a-t-il choisi pour présenter les lieux dans la case 1 ? Quel effet cela donne-t-il ?

3 Quel angle de vue et quelle valeur de plan l'auteur a-t-il choisi pour la case 2 ? Quel effet cela donne-t-il ?

4 Une bande comporte généralement trois cases. Que remarquez-vous en ce qui concerne les deux premières cases ? Pourquoi le dessinateur a-t-il choisi ce parti pris ?

5 D'un point de vue sonore, qu'est-ce qui caractérise ces deux premières cases et quelle atmosphère se dégage alors dès l'ouverture de ce récit ?

6 Comment pouvez-vous qualifier les couleurs et l'ambiance qu'elles dégagent dans cette première planche ?

7 Que se passe-t-il au niveau du rythme des cases dans la troisième bande ?

8 Donnez les valeurs de plan qui caractérisent les trois dernières cases. Quel est l'effet optique rendu ? Sur quoi focalise-t-il notre attention ?

9 Quelle onomatopée brise le silence de la première planche ? Quelle hypothèse permet-elle d'envisager ?

10 Comment l'auteur a-t-il organisé sa planche pour laisser un certain suspense à la fin ?

11 Page 10 : cette planche peut-elle être qualifiée de contemplative ?

ZOOM

LE MONTAGE

La succession des cases est l'équivalent du montage au cinéma.

Le *montage chronologique* représente le déroulement d'actions qui se suivent dans le temps.

Le *montage parallèle* juxtapose des actions éloignées dans le temps ou l'espace. Par exemple, le cinéaste russe Eisenstein, dans son film *La grève* (1929), montre le massacre des ouvriers par l'armée lors d'une grève, ceci monté avec des plans d'un animal que l'on égorge à l'abattoir.

Le *montage alterné* juxtapose des actions simultanées. La course-poursuite est un classique du montage alterné.

Le *montage leitmotiv* permet d'opérer un retour régulier d'un élément souvent symbolique autour duquel s'organise l'action.

L'*analepse* ou *flash-back* est un montage par retours en arrière qui permet d'arrêter l'action en cours pour revenir sur des faits antérieurs.

Arrêt sur image

12 Relevez les similitudes entre les deux dernières cases. Comment peut-on qualifier le montage qui associe ces deux cases ?

13 Page 11 : quelle couleur est mise en valeur dans la 1re et la 4e case de la 3e planche ? Quelles connotations associe-t-on à cette couleur ?

Écrire

14 Adaptez en roman les trois premières planches d'*Adèle et la Bête* qui formeront le premier chapitre. Veillez à insérer un passage descriptif dans votre texte narratif. Donnez un titre évocateur à ce premier chapitre.

À SAVOIR

INCIPIT

***Incipit* signifie « commencer » en latin. Un incipit est donc le début d'un livre. Le récit, avec une scène d'exposition, peut débuter sur un rythme lent en donnant des informations temporelles, spatiales et en mettant en place les personnages. Il peut aussi débuter *in media res*, c'est-à-dire dans le feu de l'action, au cœur de l'intrigue.**

À la frontière des genres

Lire

1 Quelle explication rationnelle le brigadier avance-t-il pour écarter le témoignage du clochard (p. 12) ?

2 Quelle est l'explication donnée par le journaliste (p. 13) ? Quels indices le font douter ?

3 Le président de la République avance une autre hypothèse pour expliquer les faits (p. 16). Cette hypothèse est-elle rationnelle ou irrationnelle ?

4 La présence du surnaturel est confirmée par les déclarations de Robert Espérandieu (p. 41-42). Reformulez cette explication.

5 Sommes-nous alors en présence d'un récit fantastique ? Justifiez votre réponse.

Arrêt sur image

6 Quel fait scientifique permet d'effacer la thèse rationnelle ?

EMBRE 1911

DES FAITS

Un taxi automobile attaqué par un ptérodactyle. Deux morts !

A 23 h. 30, hier soir, alors qu'il s'engageait sur le pont au Change, un taxi automobile conduit par M. Armand, ayant à son bord deux passagers : MM. Troupaquet, officier de réserve, et Boissieux, professeur à la Sorbonne, a été attaqué par un monstrueux volatile sorti du fond des âges. La bête hideuse et agressive plongea tel un rapace sur le taxi faisant perdre au chauffeur le contrôle de son véhicule qui franchit la balustrade du pont et tomba dans la Seine. M. Troupaquet et le chauffeur coulèrent avec l'automobile. Seul le professeur Boissieux devait échapper à la noyade, il parvint à nager et à regagner le quai où il fut secouru. Le professeur affirme avoir identifié l'animal. Il s'agirait d'un ptérodactyle ! Le ptérodactyle est un reptile ailé qui fit son apparition sur terre à la fin du jurassique, il y a quelque 130 millions d'années. Les ptérodactyles se sont éteints pendant le crétacé. Inutile de dire que cette affirmation, bien que venant d'un éminent homme de lettres, demande à être accueillie avec la plus grande perplexité. Evidemment, le but de ces lignes ne met pas en doute les propos du professeur Boissieux, mais ceux-ci ont de quoi surprendre. Il va de soi que scientifiquement la réapparition de ces animaux disparus depuis si longtemps est absolument impossible, aucune thèse sérieuse ne pourrait soutenir la possibilité du retour de cette espèce préhistorique.

Le Monde & la Ville

Ce matin, alors qu'ils travaillaient sur un échafaudage, rue du Théâtre, trois peintres en bâtiment italiens ... Robialetto et Tardi,

7 Pages 14-15 : relevez le champ lexical relatif à la peur et à l'étrange dans les articles de presse.

ZOOM

LA PROFONDEUR DE CHAMP

La profondeur de champ est la zone de netteté qui s'étend du premier plan vers l'arrière-plan.
Lorsque le premier plan est net et l'arrière-plan flou, la profondeur de champ est faible. C'est une façon de mettre, par exemple, un visage en valeur.
Lorsque tout est net, la profondeur de champ est importante. D'une image avec une forte profondeur de champ émane souvent un aspect théâtral, solennel (cf. vignette 9 de la page 15).

8 Pour quelle raison l'inspecteur Léonce Caponi est-il désigné par son supérieur, le commissaire principal Dugommier, pour résoudre l'énigme (p. 16-17) ?

9 Comment Caponi nomme-t-il le reptile volant (p. 23) ? Quel registre de langue emploie-t-il ?

Pages 40-41

10 L'inspecteur Caponi a-t-il retrouvé le monstre grâce à son esprit de déduction et après une enquête approfondie ?

11 Quel est le point de vue du professeur face à la police ?

12 Quel innocent Caponi a-t-il arrêté et mené à la guillotine (p. 45) ?

13 Pour quelle raison Adèle séquestre-t-elle Édith Rabatjoie (p. 29-31, p. 50) ?

14 Sachant que nous sommes au début du XXe siècle, en quoi le récit apporte-t-il une touche de science-fiction ?

Écrire

15 Faites un portrait caricatural de l'inspecteur Caponi en prenant en compte ses caractéristiques physiques et psychologiques.

À SAVOIR

LE GENRE D'UN RÉCIT

***Le récit réaliste* : l'auteur place ses personnages et son histoire dans un milieu social dont il va étudier les caractéristiques. Les lieux et l'époque sont clairement définis, l'histoire semble alors réelle. Les personnages paraissent avoir existé.**

***Le récit fantastique* : dans un contexte réaliste, un événement surnaturel vient troubler l'ordre des choses. Le doute survient alors. Les faits peuvent-ils être appréhendés de façon rationnelle et avoir une cause que les lois de la nature expliquent ou l'événement dépasse-t-il la raison et ne peut-il être expliqué qu'avec l'apport du surnaturel ?**

***Le récit policier* : ce récit fait intervenir un enquêteur, employé de la police ou détective privé, qui devra résoudre une énigme, généralement la recherche d'un meurtrier. Des formes contemporaines du récit policier, comme le thriller, adoptent le point de vue du criminel et mettent en relief les émotions fortes que le lecteur connaîtra en suivant le chemin du mal.**

***Le récit de science-fiction* : la science-fiction nous plonge dans un univers qui n'est pas réaliste, caractérisé par les avancées supposées de la science et des techniques.**

***Le récit horrifique* : le récit d'épouvante a pour but d'effrayer le lecteur, de faire ressortir chez lui des peurs viscérales. Le sang, l'obscurité, les armes tranchantes... sont l'arsenal du récit horrifique.**

Une fin sans fin

Lire

Pages 52-53

1 Du point de vue de l'ambiance sonore, comment pouvez-vous qualifier cette fin par rapport à l'ouverture ? Justifiez votre réponse en relevant des éléments narratifs (onomatopée, lettrage, etc.).

2 Quels personnages font place au vide de la première page ?

3 Quel signe de ponctuation apparaît de façon récurrente ? Que marque ce signe de ponctuation quant à l'état d'esprit des personnages ?

4 Quel personnage apporte des explications sur le dénouement de l'intrigue ?

5 Les explications du personnage sont-elles très limpides ? Comment Adèle qualifie-t-elle ces explications ?

6 Comment se terminent les événements qui touchent Édith Rabatjoie ?

7 Peut-on inscrire le mot « fin » concernant les aventures d'Adèle Blanc-sec et la machine volante ?

8 Page 52 : quelles sont les deux cases qui laissent présager une suite à l'affaire du magot dérobé ?

Page 54

9 Repérez une case qui ne comporte pas de cadre.

10 Quel signe de ponctuation domine dans cette planche ? Pourquoi ?

11 Relevez les termes qui montrent qu'Adèle est déjà en marche vers une autre histoire qui promet d'être « extraordinaire ».

12 Quel adjectif qualifie les aventures qui vont suivre ? Comment appelle-t-on un récit qui retrouve un personnage récurrent à chaque volume ?

13 Quel style de roman l'auteur imite-t-il ?

14 La parodie étant une imitation burlesque, une caricature d'œuvre, la dernière planche a-t-elle un aspect « parodique » ? Pourquoi ?

À SAVOIR

LE DÉNOUEMENT

Dénouement **signifie « défaire un nœud ». L'intrigue, avec ses complications, forme un véritable nœud qu'il faut dénouer à la fin.**

Une conception traditionnelle de la dramaturgie pense le récit comme un univers clos, la fin refermant l'histoire sur elle-même. Umberto Eco parle « d'œuvre ouverte » pour évoquer une conception plus moderne du récit. Ici, les aventures d'Adèle sont « à suivre ».

LE SCHÉMA NARRATIF

Le schéma narratif divise un récit en cinq étapes : la situation initiale, l'élément perturbateur, les péripéties, la résolution et la situation finale.

15 Concernant l'affaire du reptile volant, le récit suit-il le classique schéma narratif (cf. encadré « À savoir » p. 62) ? Justifiez votre réponse.

Arrêt sur image

16 Analysez cette vignette : plan, angle de vue, lien entre les personnages.

17 Le « cul-de-lampe » est un ornement qui signale la fin d'un chapitre. Comment Tardi joue-t-il avec ce signe ?

ZOOM

LE LETTRAGE

La dernière planche d'*Adèle et la Bête* (page 54) peut être qualifiée de « bavarde». Le travail de lettrage est ici important. Le lettrage peut être manuscrit ou élaboré par traitement de texte en utilisant différentes polices de caractère. Plusieurs caractéristiques sont à observer concernant le rendu sonore d'une planche :

– la taille et l'épaisseur des caractères indiquent le volume sonore (*« On se retrouvera ! »* est dit plus fort que *« Mais oui... Mais oui... »*) ;

– la répétition des caractères permet de nous informer sur la durée du son. Le *« trrriiiit »* (case 4, page 53) indique que le sifflet retentit dans la salle.

Écrire

18 Page 53, case 3 : Adèle trouve dans la poche de Lucien Ripol un texte dans lequel il raconte la dernière heure d'un condamné. Il avait écrit ce document en s'inspirant du roman *Le Dernier Jour d'un condamné* de Victor Hugo. Rédigez ce texte autobiographique dans lequel Ripol parle de ses souffrances et de l'angoisse du condamné face à la guillotine.

Chercher

La dernière planche fait référence au roman-feuilleton, genre qui a fleuri dans la seconde partie du XIXe siècle. Cherchez des titres de romans au style feuilletonesque écrits par Dumas, Balzac, Eugène Sue...

AUTRES IMAGES, AUTRES TEXTES

Les images féminines dans les contes, la bande dessinée et au théâtre

Avec Adèle Blanc-sec, Tardi nous présente un personnage féminin qui revêt les caractéristiques d'une femme libérée des années 70, années du féminisme. Il était alors novateur dans une bande dessinée de créer un tel personnage féminin car la place accordée aux femmes dans les contes et récits était traditionnellement toute différente.

ESSAI

Elena GIANINI BELOTTI, *Du côté des petites filles*,
Éditions des Femmes, 1971.

Dans cet essai engagé, Elena Belotti dénonce le conditionnement des jeunes cerveaux par le biais des contes pour enfants. Ces contes présentent, selon elle, une vision machiste des femmes.

Si l'on compare les images féminines de la littérature enfantine contemporaine avec celles des légendes traditionnelles, on s'aperçoit que bien peu de choses ont changé. Les vieilles légendes nous offrent des femmes douces, passives, muettes, seulement préoccupées par leur beauté, vraiment incapables et bonnes à rien. En revanche, les figures masculines sont actives, fortes, courageuses, loyales, intelligentes. Aujourd'hui, on ne raconte presque plus de légendes aux enfants, elles sont remplacées par la télévision et les histoires inventées à leur intention, mais certaines parmi les plus connues ont survécu et sont connues de tout le monde.
Le petit chaperon rouge est l'histoire d'une fillette à la limite de la débilité mentale, qui est envoyée par une mère irresponsable à travers des bois profonds infestés de loups, pour apporter à sa grand-mère malade de petits paniers bourrés de galettes. Avec de telles déterminations, sa fin ne surprend guère. Mais tant d'étourderie, qu'on n'aurait jamais pu attribuer à

un garçon, repose entièrement sur la certitude qu'il y a toujours à l'endroit et au moment voulus un chasseur courageux et efficace prêt à sauver du loup la grand-mère et la petite fille.
Blanche-neige est une autre petite oie blanche qui accepte la première pomme venue, alors qu'on l'avait sévèrement mise en garde de ne se fier à personne. Lorsque les sept nains acceptent de lui donner l'hospitalité, les rôles se remettent en place : eux iront travailler, et elle tiendra pour eux la maison, reprisera, balaiera, cuisinera en attendant leur retour. Elle aussi vit comme l'autruche, la tête dans le sable, la seule qualité qu'on lui reconnaisse est la beauté, mais puisque ce caractère est un don de la nature, et non un effet de la volonté individuelle, il ne lui fait nullement honneur. Elle réussit toujours à se mettre dans des situations impossibles, et pour l'en tirer, comme toujours, il faut l'intervention d'un homme, le prince charmant, qui l'épousera fatalement.
Cendrillon est le prototype des vertus domestiques, de l'humilité, de la patience, de la servilité, du sous-développement de la conscience, elle n'est pas très différente des types féminins décrits dans les livres de lecture aujourd'hui en usage dans les classes primaires et dans la littérature enfantine en général. Elle non plus ne bouge pas le petit doigt pour sortir d'une situation intolérable, elle ravale les humiliations et les vexations, elle est sans dignité ni courage. Elle aussi accepte que ce soit un homme qui la sauve, c'est son unique recours, mais rien ne dit que ce dernier la traitera mieux qu'elle ne l'était jusqu'alors.
Les personnages féminins des légendes appartiennent à deux catégories fondamentales : les bonnes et incapables et les malveillantes. « On a calculé que dans les contes de Grimm 80 % des personnages négatifs sont des femmes. » Pour autant qu'on prenne la peine de le chercher, il n'existe pas de personnage féminin intelligent, courageux, actif et loyal. Même les bonnes fées n'ont pas recours à leurs ressources personnelles, mais à un pouvoir magique qui leur a été conféré et qui est positif sans raison logique, de même qu'il est malfaisant chez les sorcières. Un personnage féminin doué de qualités humaines altruistes, qui choisit son comportement courageusement en toute lucidité, n'existe pas. La force émotive avec laquelle les enfants s'identifient à ces personnages confère à ces derniers un grand pouvoir de suggestion, qui se trouve renforcé par d'innombrables messages sociaux tout

à fait cohérents. S'il s'agissait de mythes isolés survivant dans une culture qui s'en détache, leur influence serait négligeable, mais la culture est au contraire imprégnée des mêmes valeurs que ces histoires transmettent, même si ces valeurs sont affaiblies et atténuées.

PIÈCE DE THÉÂTRE

MOLIÈRE, *L'École des femmes*, 1662.

Arnolphe, un bourgeois d'âge mûr, donne ses instructions à Agnès (17 ans) qui sera bientôt sa femme. Arnolphe a une vision très tranchée sur le rôle que doit jouer une femme mariée.

Le mariage, Agnès, n'est pas un badinage.
À d'austères devoirs le rang de femme engage ;
Et vous n'y montez pas, à ce que je prétends,
Pour être libertine et prendre du bon temps.
Votre sexe n'est là que pour la dépendance :
Du côté de la barbe est la toute-puissance.
Bien qu'on soit deux moitiés de la société,
Ces deux moitiés pourtant n'ont point d'égalité :
L'une est moitié suprême, et l'autre subalterne ;
L'une en tout est soumise à l'autre, qui gouverne ;
Et ce que le soldat, dans son devoir instruit,
Montre d'obéissance au chef qui le conduit,
Le valet à son maître, un enfant à son père,
À son supérieur le moindre petit frère,
N'approche point encor de la docilité,
Et de l'obéissance, et de l'humilité,
Et du profond respect où la femme doit être
Pour son mari, son chef, son seigneur et son maître.
Lorsqu'il jette sur elle un regard sérieux,
Son devoir aussitôt est de baisser les yeux,
Et de n'oser jamais le regarder en face
Que quand d'un doux regard il lui veut faire grâce.
C'est ce qu'entendent mal les femmes d'aujourd'hui.

ILLUSTRATION DE COUVERTURE

PINCHON, *Bécassine en apprentissage*,
Éditions de la Semaine de Suzette, 1916.

Au début du XXe siècle, à l'époque de notre héroïne Adèle Blanc-sec, apparaissait le personnage de Bécassine dessiné par Pinchon. Bécassine n'a pas de bouche, comme si elle n'avait rien à dire, et se trouve dotée de qualités intellectuelles, somme toute, très modestes.

BANDE DESSINÉE

TARDI, *Le Labyrinthe infernal*, série « Adèle Blanc-sec », tome 9, p. 9 et 10, éditions Casterman, 2007.

Après une visite à sa sœur, Adèle va prendre un verre dans un café car elle vient de subir un choc : notre héroïne n'a pas vraiment la même conception de la vie et du rôle qu'une femme peut y jouer.

Je fais souvent ce rêve étrange et pénétrant... Je me promène sur les toits, il fait nuit, et c'est alors que se produisent toutes ces horreurs.
Ce sont tes feuilletons stupides qui te montent à la tête ! Bien fait pour toi !

Ainsi donc, tu vas être maman, et moi tatan... Tatá Adèle... Quelle bonne nouvelle ! Et que devient Honoré dans tout ça ? *
Après notre mariage, il a arrêté de faire l'artiste.

Honoré a trouvé un emploi, dans une fabrique, au bout de la rue. C'est pour ça qu'on est venu ici. On a pu acheter le pavillon avec le petit héritage de ma mère adoptive et un petit crédit. Pourquoi es-tu venue ? Pour voir Honoré ? Il travaille, laisse-le tranquille... Il n'a plus peur ! **

Ne recommence pas ! Je rentre ! Merci pour le sirop d'orgeat. J'avais seulement envie d'avoir de tes nouvelles.

Ne te crois pas obligée de venir au baptême !
Aucun risque ! Tu sais, j'évite les églises, les curés et les bénitiers mais ça ne m'empêche pas de passer sous une échelle !

C'est gentil par ici... oui, vraiment ! Et ça lui plaît à Honoré la banlieue ?

Travail... Famille... Quelle gentille petite sœur ! Dans vingt ans, son fœtus sera fin prêt pour la prochaine boucherie. Et elle a l'air d'être contente d'elle ! Pauvre Honoré !
La voilà

* Voir : TOUS DES MONSTRES. ** Voir : LE MYSTÈRE DES PROFONDEURS.

qu'est-ce que je lui
à la jeune fille ?
Une orangeade ?
Joli p'tit lot !
Magnifiques spécimens de l'ère secondaire !!! Ça m'épuise !

ET HOP !

La même chose !

Un blanc sec !
C'est comme si c'était fait.

Sacrée descente, la p'tite dame !
?
Ah !... Mais je vous ai reconnu ! Vous êtes le joyau de nos débits de boissons... Celui qu'on est sûr de rencontrer dans tous les cafés de France !

pour ça, Monsieur, vous méritez largement honneurs militaires !... Vous aurez des funérailles nationales, c'est certain ! Aussi, savez-vous ce que je vais vous faire ?
Non ma poulette ! Qu'est-ce que tu vas me faire ? ... Des trucs coquins ?

AH!
OH! MMFFF..

CAFÉ de la G
BILLARDS
TÉLÉPHONE
TABA
?!
À qui le tour ?

Quel fale caraffère ! Fa va pas êfre fafile !
Peut-être à la dynamite ?

INFORMATION / DOCUMENTATION

BIBLIOGRAPHIE

• La série « Adèle Blanc-Sec »

De Tardi, tous les tomes de la série sont publiés aux éditions Casterman.
– *Adèle et la Bête*, tome 1 (1976).
– *Le Démon de la tour Eiffel*, tome 2 (1976).
– *Le Savant fou*, tome 3 (1977).
– *Momies en folie*, tome 4 (1978).
– *Le Secret de la salamandre*, tome 5 (1981).
– *Le Noyé à deux têtes*, tome 6 (1985).
– *Tous des monstres !* tome 7 (1994).
– *Le Mystère des profondeurs*, tome 8 (1998).
– *Le Labyrinthe infernal*, première partie, tome 9 (2007).

• Autour de la bande dessinée

– Didier Quella-Guyot, *Explorer la bande dessinée*, Dupuis-CRDP de Poitou-Charentes, 2004.
– Dominique Renard, *Genre noir et BD policière*, Dupuis-CRDP de Poitou-Charentes, 2005.
– Thierry Groensteen, *La bande dessinée, mode d'emploi*, Les Impressions Nouvelles, 2008.
– Joseph Ghosn, « 100 BD indispensables », *Les Inrockuptibles*, hors-série, 24 janvier 2008.
– Philippe Mellot, Claude Moliterni, *L'ABCdaire de la Bande dessinée*, Flammarion, 2002.
– Philippe Bonifay, *Le scénario de bande dessinée*, L'Iconograf-CRDP Alsace, 2005.
– Paul Roux, *La BD, l'art d'en faire*, CRDP de Poitou-Charentes, 1995.
– Yves Lavandier, *La dramaturgie*, 3e édition, Le Clown & l'Enfant, 2004.

• Les genres du récit

– Tzvetan Todorov, *Introduction à la littérature fantastique*, Le Seuil, 1970.
– *Le roman policier*, PEMF, 2002.
– Stéphanie Dulout, *Le Roman policier*, Milan, 1995.

FILMOGRAPHIE

Le film *Adèle Blanc-sec* de Luc Besson est sorti au cinéma en 2010, avec Louise Bourgoin dans le rôle-titre, mais aussi Mathieu Amalric, Jean-Paul Rouve, Gilles Lellouche et Frédérique Bel.

SITES INTERNET

– www.labd.cndp.fr (site pédagogique)
– www.casterman.com
– www.polars.org
– http://www.mnhn.fr/museum/foffice/transverse/transverse/accueil.xsp

MUSÉE

Le Museum national d'histoire naturelle de Paris propose différentes activités pédagogiques pour le collège et le lycée.

LEXIQUE

Angle de vue : hauteur à laquelle se trouve placé le regard du lecteur par rapport au sujet représenté. Syn. : *visée*.

Appendice : signe graphique qui sert à relier le personnage avec ses paroles ou pensées contenues dans une bulle. L'appendice peut prendre la forme d'un simple trait, d'une flèche ou de petits cercles pour évoquer les pensées du personnage. Syn. : *queue, pointe*.

Bande : série de cases disposées sur une ligne horizontale. Syn. : *strip*.

Bible : texte de référence utilisé par les scénaristes qui travaillent sur une série. Ce texte définit le caractère de tous les personnages de la série, leurs principales actions, ainsi que les liens qui les unissent.

Bords perdus : vignettes qui vont jusqu'au bord de la page, sans laisser de marge blanche. Le dessin n'a alors pas de limite spatiale et semble se poursuivre au-delà de l'album.

Bulle : espace délimité par un trait qui peut prendre différentes formes. Cet espace contient les paroles ou pensées des personnages. Syn. : *phylactère, ballon*.

Cadre : trait qui encadre le dessin dans une case. Le trait peut être rectiligne, ondulé... Il est souvent rectangulaire, carré ou circulaire. L'absence de cadre autour du dessin crée alors un effet qui distingue cet élément de l'ensemble. L'espace hors-cadre est tout ce que l'œil voit en dehors du cadre. Lorsqu'un élément dépasse du trait qui délimite le cadre, il y a une *sortie de cadre*.

Cartouche : voir *encadré narratif*.

Case : dessin bordé par un cadre. La case est l'unité de base de la narration en bande dessinée. Les cases représentent un moment de l'histoire et le lecteur fait l'effort d'imagination qui consiste à relier ces différentes cases formant un tout cohérent. Syn. : *vignette*. Une case peut prendre la dimension d'une page et est appelée *case planche*. Une *case-relais* ressemble à un insert mais déborde sur la case qui la précède et la suit.

Champ et contrechamp : le champ représente une vision de la scène et le contrechamp la vision opposée, à 180 degrés ou un peu moins, de cette même scène. Le hors-champ désigne ce que l'on ne voit pas mais a une existence dans le récit.

Coloriste : personne chargée de mettre en couleurs les planches du dessinateur. Comme le dessin et le texte, la couleur a aussi une fonction narrative.

Comics : bandes dessinées issues des États-Unis.

Contre-plongée : lorsque la vue se trouve en-dessous de l'objet représenté.

Échelle de plans : variation de la distance à laquelle le sujet est représenté. Voir *gros plan, plan américain, plan d'ensemble, plan moyen, plan rapproché*.

Effet Marey : Jules Marey photographia les phases successives d'un mouvement. En BD, certaines parties du personnage sont alors démultipliées, ce qui sert à montrer le mouvement.

Ellipse : contraction du temps du récit. (Exemple : un homme ferme sa porte d'appartement ; puis il est assis à côté d'une femme qui tient un bouquet de roses. Nous n'aurons pas vu le trajet de l'homme ni l'achat des roses. Il y a donc une ellipse.)

Encadré narratif : espace, souvent rectangulaire, situé dans la case. Cet espace permet au narrateur, par exemple, de donner des indications spatiales et temporelles. Syn. : *cartouche*, *espace récitatif*, *espace diégétique*, *pavé narratif*.

Gouttière : voir *intercase*.

Gros plan : vue qui cadre, en général, le visage. Le *très gros plan* permet d'isoler un détail.

Idéogramme : signe graphique qui, dans la bande dessinée, représente une pensée ou un sentiment.

Insert : enchâssement d'une case dans une autre.

Intercase (espace intercase) : espace, souvent blanc, qui se trouve entre les cases. Syn. : *espace inter-iconique*, *gouttière*.

Lettrage : écriture des lettres qui composent le texte dans les bulles ou les récitatifs.

Ligne claire : style graphique réaliste représenté par une grande lisibilité de la planche avec une absence d'ombres et de hachures. Les personnages et objets sont délimités par un trait à l'encre, de même épaisseur. Hergé est l'un des représentants de ce style graphique.

Manga : bande dessinée japonaise, principalement en noir et blanc, qui se lit de droite à gauche.

Onomatopée : correspond à la « bande son » et, plus particulièrement, aux bruitages. Les onomatopées rappellent souvent le verbe d'origine en anglais (*sniff*, *splash*, etc.). Le dessinateur peut évoquer la puissance du son en variant l'épaisseur des caractères.

Perspective : c'est l'art de donner un effet de profondeur à un objet, qui possède dans la réalité trois dimensions, et se trouve reproduit sur une surface plane.

Phylactère : voir *bulle*.

Plan américain : angle de vue choisi dans l'illustration d'une case qui coupe le(s) personnage(s) à mi-cuisse.

Plan d'ensemble : vue de très loin qui permet de présenter le décor. Syn. : *plan général*.

Plan moyen : angle de vue choisi dans l'illustration d'une case permettant de voir le(s) personnage(s) en entier.

Plan rapproché : angle de vue choisi dans l'illustration d'une case qui coupe le personnage au niveau du buste.

Planche : page de bande dessinée. Son nom vient de la planche à dessin sur laquelle travaille le dessinateur.

Plongée : lorsque notre point de vue se trouve au-dessus de l'objet représenté.

Profondeur de champ : zone de netteté dans le plan.

Raccord : permet de faire un lien entre les cases afin de fluidifier la narration. Le raccord peut être textuel, visuel, temporel, spatio-temporel ou *cut*.

Scénariste : personne qui imagine et écrit l'histoire selon les codes propres à la bande dessinée.

Séquence, scène, épisode : unités de temps et d'action.

Strip : voir *bande*.

Vignette : voir *case*.

Visée : voir *angle de vue*.

Vue normale : correspond à une vision « à hauteur d'homme ».

Beuriot et Richelle, *Amours fragiles – Le Dernier Printemps*
Bilal et Christin, *Les Phalanges de l'Ordre noir*
Comès, *Dix de der*
Comès, *Silence*
Ferrandez, *Carnets d'Orient – Le Cimetière des Princesses*
Ferrandez et Benacquista, *L'Outremangeur*
Franquin, *Idées noires*
Manchette et Tardi, *Griffu*
Martin, *Alix – L'Enfant grec*
Pagnol et Ferrandez, *L'Eau des collines – Jean de Florette*
Pratt, *Corto Maltese – Fable de Venise*
Pratt, *Corto Maltese – La Jeunesse de Corto*
Pratt, *Saint-Exupéry – Le Dernier Vol*
Stevenson, Pratt et Milani, *L'île au trésor*
Tardi, *Adèle Blanc-sec – Adèle et la Bête*
Tardi, *Adèle Blanc-sec – Le Démon de la Tour Eiffel*
Tardi, *Adieu Brindavoine suivi de La Fleur au fusil*
Tardi et Daeninckx, *Le Der des ders*
Tito, *Soledad – La Mémoire blessée*
Tito, *Tendre banlieue – Appel au calme*
Utsumi et Taniguchi, *L'Orme du Caucase*
Wagner et Seiter, *Mysteries – Seule contre la loi*

SÉRIE « LES GRANDS CONTEMPORAINS PRÉSENTENT »

D. Daeninckx présente *21 récits policiers*
L. Gaudé présente *13 extraits de tragédies*
A. Nothomb présente *20 récits de soi*
K. Pancol présente *21 textes sur le sentiment amoureux*
É.-E. Schmitt présente *13 récits d'enfance et d'adolescence*
B. Werber présente *20 récits d'anticipation et de science-fiction*

Adam, *Je vais bien, ne t'en fais pas*
Anouilh, *L'Hurluberlu – Pièce grinçante*
Anouilh, *Pièces roses*
Balzac, *La Bourse*
Balzac, *Sarrasine*
Barbara, *L'Assassinat du Pont-Rouge*
Begag, *Salam Ouessant*
Bégaudeau, *Le Problème*

Ben Jelloun, Chedid, Desplechin, Ernaux, *Récits d'enfance*
Benoit, *L'Atlantide*
Boccace, Poe, James, Boyle, etc., *Nouvelles du fléau*
Boisset, *Le Grimoire d'Arkandias*
Boisset, *Nicostratos*
Braun (avec S. Guinoiseau), *Personne ne m'aurait cru, alors je me suis tu*
Brontë, *L'Hôtel Stancliffe*
Calvino, *Le Vicomte pourfendu*
Chaine, *Mémoires d'un rat*
Colette, *Claudine à l'école*
Conan Doyle, *Le Monde perdu*
Conan Doyle, *Trois Aventures de Sherlock Holmes*
Corneille, *Le Menteur*
Corneille, *Médée*
Cossery, *Les Hommes oubliés de Dieu*
Coulon, *Le roi n'a pas sommeil*
Courteline, *La Cruche*
Daeninckx, *Cannibale*
Daeninckx, *Histoire et faux-semblants*
Daeninckx, *L'Espoir en contrebande*
Dahl, Bradbury, Borges, Brown, *Nouvelles à chute 2*
Daudet, *Contes choisis*
Defoe, *Robinson Crusoé*
Diderot, *Supplément au Voyage de Bougainville*
Dorgelès, *Les Croix de bois*
Dostoïevski, *Carnets du sous-sol*
Du Maurier, *Les Oiseaux et deux autres nouvelles*
Du Maurier, *Rebecca*
Dubillard, Gripari, Grumberg, Tardieu, *Courtes pièces à lire et à jouer*
Dumas, *La Dame pâle*
Dumas, *Le Bagnard de l'Opéra*
Feydeau, *Dormez, je le veux!*
Fioretto, *Et si c'était niais? – Pastiches contemporains*
Flaubert, *Lettres à Louise Colet*
Gaudé, *La Mort du roi Tsongor*
Gaudé, *Médée Kali*
Gaudé, *Salina*
Gaudé, *Voyages en terres inconnues – Deux récits sidérants*
Gavalda, Buzzati, Cortázar, Bourgeyx, Kassak, Mérigeau, *Nouvelles à chute*
Germain, *Magnus*
Giraudoux, *La guerre de Troie n'aura pas lieu*
Giraudoux, *Ondine*
Gripari, *Contes de la rue Broca et de la Folie-Méricourt*
Higgins Clark, *La Nuit du renard*
Higgins Clark, *Le Billet gagnant et deux autres nouvelles*
Highsmith, Poe, Maupassant, Daudet, *Nouvelles animalières*
Hoffmann, *L'Homme au sable*
Hoffmann, *Mademoiselle de Scudéry*
Huch, *Le Dernier Été*
Hugo, *Claude Gueux*
Hugo, *Théâtre en liberté*
Irving, *Faut-il sauver Piggy Sneed ?*
Jacq, *La Fiancée du Nil*

Jarry, *Ubu roi*
Kafka, *La Métamorphose*
Kamanda, *Les Contes du Griot*
King, *Cette impression qui n'a de nom qu'en français et trois autres nouvelles*
King, *La Cadillac de Dolan*
Kipling, *Histoires comme ça*
Klotz, *Killer Kid*
Leblanc, *Arsène Lupin, gentleman-cambrioleur*
Leroux, *Le Mystère de la chambre jaune*
Lewis, *Pourquoi j'ai mangé mon père*
London, *Construire un feu*
London, *L'Appel de la forêt*
Loti, *Le Roman d'un enfant*
Lowery, *La Cicatrice*
Maran, *Batouala*
Marivaux, *La Colonie* suivi de *L'Île des esclaves*
Maupassant, *Les Dimanches d'un bourgeois de Paris*
Mérimée, *Tamango*
Molière, *Dom Juan*
Molière, *George Dandin*
Molière, *Le Sicilien ou l'Amour peintre*
Murakami, *L'éléphant s'évapore* suivi du *Nain qui danse*
Musset, *Lorenzaccio*
Némirovsky, *Jézabel*
Nothomb, *Acide sulfurique*
Nothomb, *Barbe bleue*
Nothomb, *Les Combustibles*
Nothomb, *Métaphysique des tubes*
Nothomb, *Le Sabotage amoureux*
Nothomb, *Stupeur et Tremblements*
Pergaud, *La Guerre des boutons*
Perrault, Mme d'Aulnoy, etc., *Contes merveilleux*
Petan, *Le Procès du loup*
Poe, Gautier, Maupassant, Gogol, *Nouvelles fantastiques*
Pons, *Délicieuses frayeurs*
Pouchkine, *La Dame de pique*
Reboux et Muller, *À la manière de...*
Renard, *Huit jours à la campagne*
Renard, *Poil de Carotte* (comédie en un acte), suivi de *La Bigote* (comédie en deux actes)
Reza, *« Art »*
Reza, *Le Dieu du carnage*
Reza, *Trois versions de la vie*
Ribes, *Trois pièces facétieuses*
Riel, *La Vierge froide et autres racontars*
Rouquette, *Médée*
Sand, *Marianne*
Schmitt, *Crime parfait et Les Mauvaises Lectures – Deux nouvelles à chute*
Schmitt, *L'Enfant de Noé*
Schmitt, *Hôtel des deux mondes*
Schmitt, *Le Joueur d'échecs*
Schmitt, *Milarepa*
Schmitt, *Monsieur Ibrahim et les fleurs du Coran*
Schmitt, *La Nuit de Valognes*

Schmitt, *Oscar et la dame rose*
Schmitt, *Ulysse from Bagdad*
Schmitt, *Vingt-quatre heures de la vie d'une femme*
Schmitt, *Le Visiteur*
Sévigné, Diderot, Voltaire, Sand, *Lettres choisies*
Signol, *La Grande Île*
Stendhal, *Vanina Vanini*
Stevenson, *Le Cas étrange du Dr Jekyll et de M. Hyde*
t'Serstevens, *Taïa*
Uhlman, *La Lettre de Conrad*
van Cauwelaert, *Cheyenne*
Vargas, *Debout les morts*
Vargas, *L'Homme à l'envers*
Vargas, *L'Homme aux cercles bleus*
Vargas, *Pars vite et reviens tard*
Vercel, *Capitaine Conan*
Vercors, *Le Silence de la mer*
Vercors, *Zoo ou l'assassin philanthrope*
Verne, *Sans dessus dessous*
Voltaire, *L'Ingénu*
Wells, *La Machine à explorer le temps*
Werth, *33 Jours*
Wilde, *Le Crime de Lord Arthur Savile*
Zola, *Thérèse Raquin*
Zweig, *Le Joueur d'échecs*
Zweig, *Lettre d'une inconnue*
Zweig, *Vingt-quatre heures de la vie d'une femme*

Recueils et anonymes

90 poèmes classiques et contemporains
Ceci n'est pas un conte et autres contes excentriques du XVIIIe siècle
Ces objets qui nous envahissent : objets cultes, culte des objets (anthologie BTS)
Cette part de rêve que chacun porte en soi (anthologie BTS)
Contes populaires de Palestine
Histoires vraies – Le Fait divers dans la presse du XVIe au XXIe siècle
Initiation à la poésie du Moyen Âge à nos jours
Je me souviens (anthologie BTS)
La Dernière Lettre – Paroles de Résistants fusillés en France (1941–1944)
La Farce de Maître Pierre Pathelin
Poèmes engagés
La Presse dans tous ses états – Lire les journaux du XVIIe au XXIe siècle
La Résistance en poésie – Des poèmes pour résister
La Résistance en prose – Des mots pour résister
Les Aventures extraordinaires d'Adèle Blanc-Sec
Les Grands Textes du Moyen Âge et du XVIe siècle
Les Grands Textes fondateurs
Nouvelles francophones
Pourquoi aller vers l'inconnu ? – 16 récits d'aventures
Sorcières, génies et autres monstres – 8 contes merveilleux

Édition : Charlotte Cordonnier
Conception graphique : Yannick Le Bourg
Réalisation : Nord Compo

Achevé d'imprimer en octobre 2017
en France par Pollina - 82554.
Dépôt légal : 2009 , N° éditeur : 2017-1747

www.casterman.com
www.classiquesetcontemporains.com